JN403248

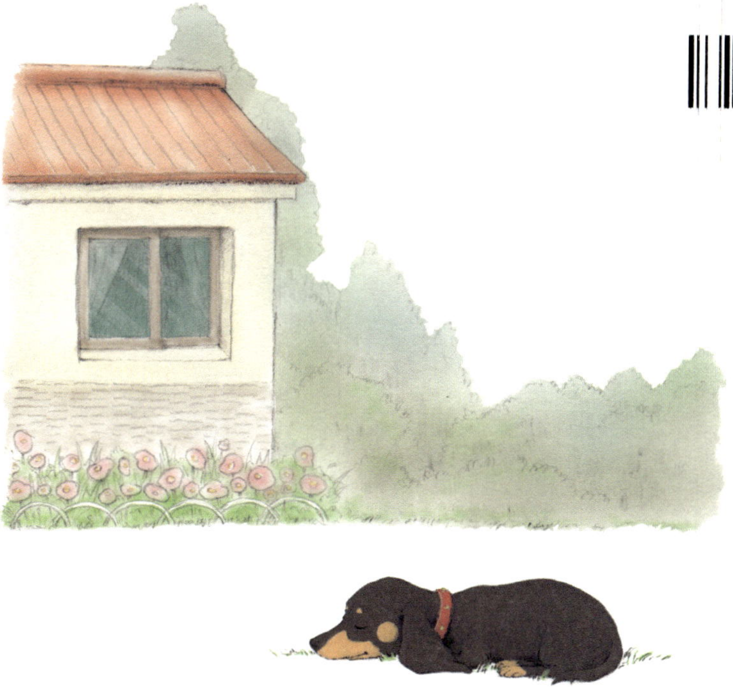

개가 자고 있어요.

개미가 가만히 지나가요.

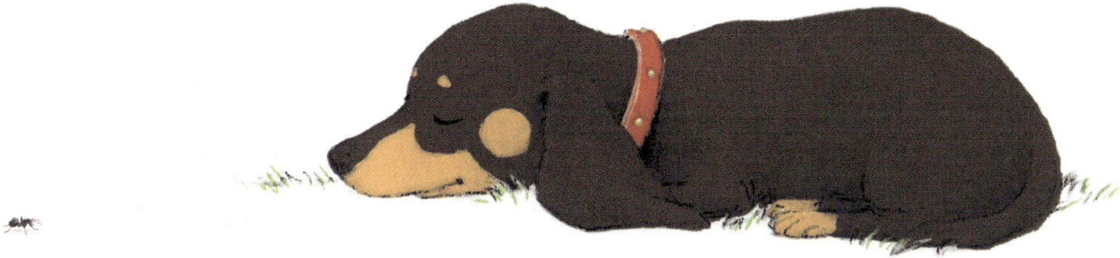

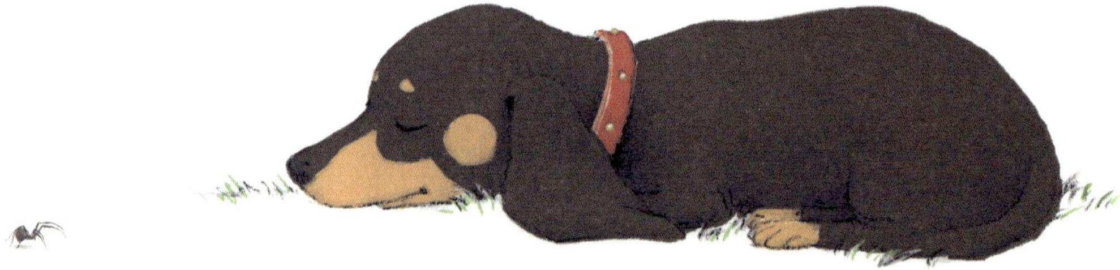

거미가 가만히 지나가요.

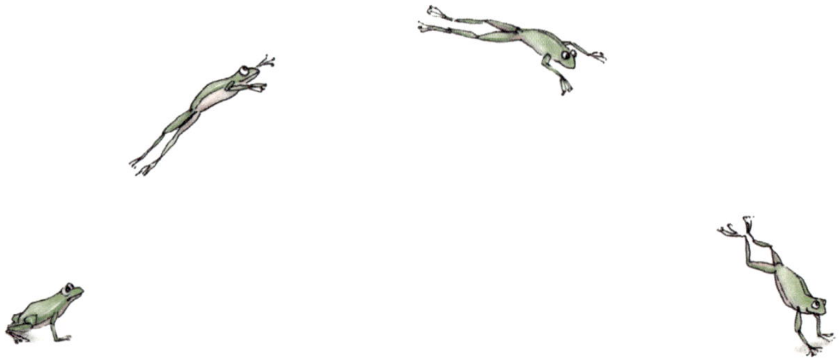

개구리도 가만히 지나갈까요?

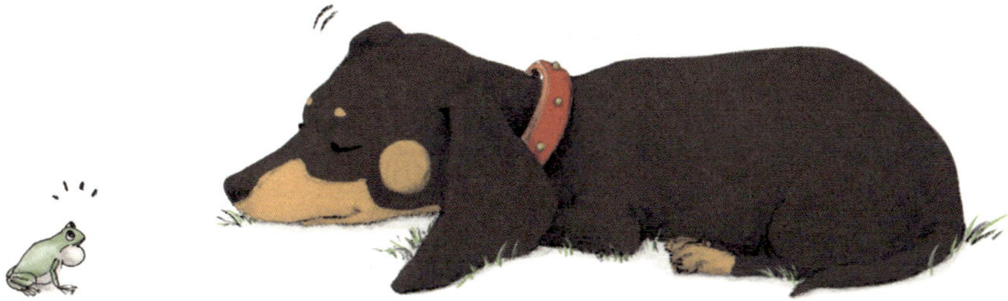

개구리가 개굴개굴 울어요.

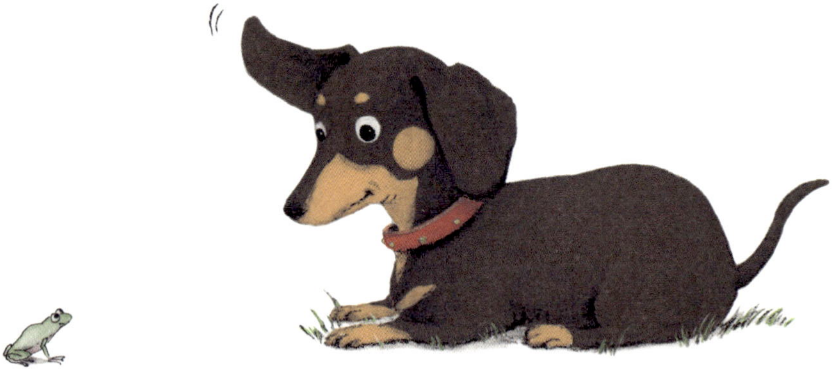

개가 눈을 떠요.